劉福春・李怡 主編

民國文學珍稀文獻集成

第一輯

新詩舊集影印叢編　第25冊

【徐玉諾卷】

將來之花園

上海：商務印書館 1922 年 8 月版

徐玉諾　著

花木蘭文化出版社

國家圖書館出版品預行編目資料

將來之花園／徐玉諾　著 — 初版 — 新北市：花木蘭文化出版社，
2016〔民 105〕
152 面；19×26 公分
（民國文學珍稀文獻集成・第一輯・新詩舊集影印叢編　第 25 冊）
ISBN：978-986-404-622-5（套書精裝）
831.8　　105002931

ISBN-978-986-404-622-5
9789864046225

民國文學珍稀文獻集成・第一輯・新詩舊集影印叢編（1-50 冊）
第 25 冊

將來之花園

著　者　徐玉諾
主　編　劉福春、李怡
企　劃　首都師範大學中國詩歌研究中心
北京師範大學民國歷史文化與文學研究中心
（臺灣）政治大學民國歷史文化與文學研究中心
總 編 輯　杜潔祥
副總編輯　楊嘉樂
編　輯　許郁翎
出　版　花木蘭文化出版社
社　長　高小娟
聯絡地址　235 新北市中和區中安街七二號十三樓
電話：02-2923-1455／傳眞：02-2923-1452
網　址　http://www.huamulan.tw 信箱 hml 810518@gmail.com
印　刷　普羅文化出版廣告事業
初　版　2016 年 4 月
定　價　第一輯 1-50 冊（精裝）新台幣 120,000 元　

將來之花園

徐玉諾 著

徐玉諾（1894-1958）生於河南魯山。

商務印書館（上海）一九二二年八月初版。原書三十二開。

徐玉諾作

將來之花園（新詩集）

文學研究會叢書

上海商務印書館發行

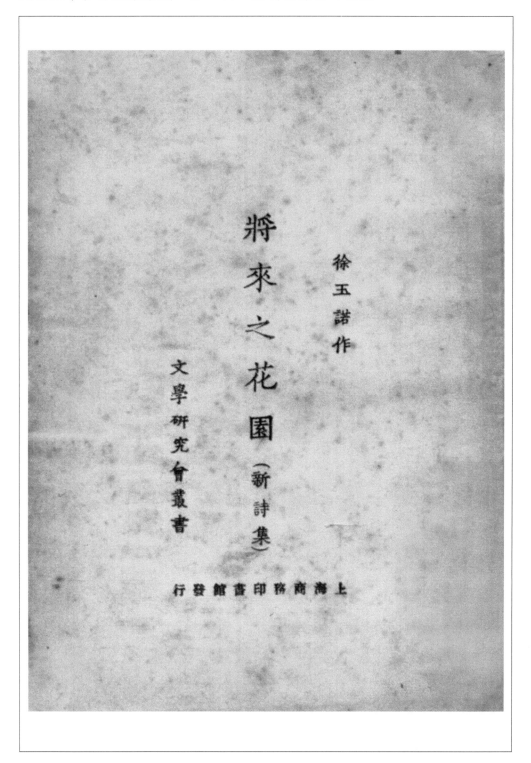

將來之花園（新詩集）

徐玉諾作

文學研究會叢書

目次

一、卷頭語……一頁至二頁
二、海鷗……一頁至六十六頁
三、將來之花園……六十七頁至一百十二頁
四、玉諾的詩……一百十三頁至一百三十四頁

卷頭語

Plestcheiev 之詩有言：

「手空空的，握不到黎明的安樂！
夜接着夜，眼所能見到的却都是黑的夜。
我的少年的年華呀，逝了逝了，不留轍跡的，
似冬天空裏的流星一般的逝了。」

唉！祇在玉諾的詩中，才找得出與 Plestcheiev 這詩同樣的悲感呀！

俄國急進派的批評家 Dobrolioubov 說，「近代俄國著名

的詩人，沒有一個人不唱頌他自己的輓歌的。祇有眞情的人才能唱這輓歌。

雖然在將來的花園裏，玉諾曾閃耀著美麗的將來之夢，他也想細細心心的把他心中更美麗，更新鮮，更適合于我們的花紋組在上邊；預備著小孩子們的花園，但是輓歌般的歌聲，却較這朦朧夢境之希望來得響亮多了。

玉諾總之是中國新詩人裏第一個高唱「他自己的輓歌」的人。

（西諦）

海鷗

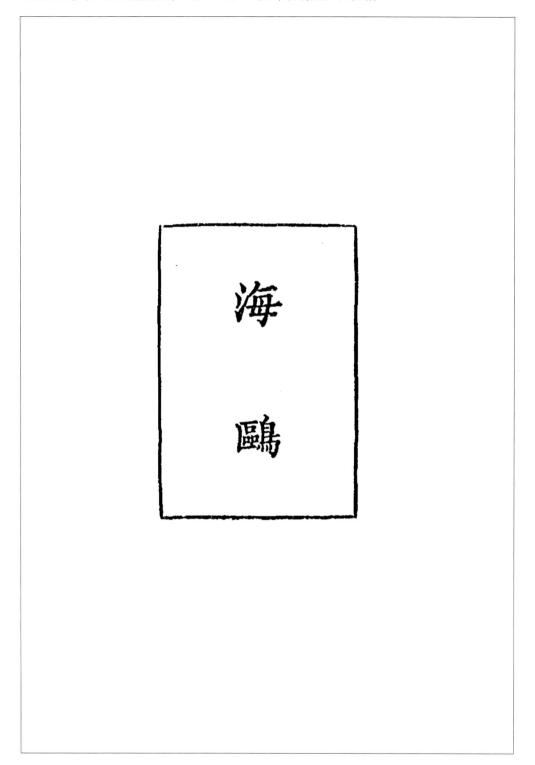

小詩

一

街上人兒鬧攘攘，
室裏燈光悽愴愴，
雖說都是母親的兒子，
隔隔不相知——
各人做着各人所想。

二

一個人沈淪在傷心的湖裏，

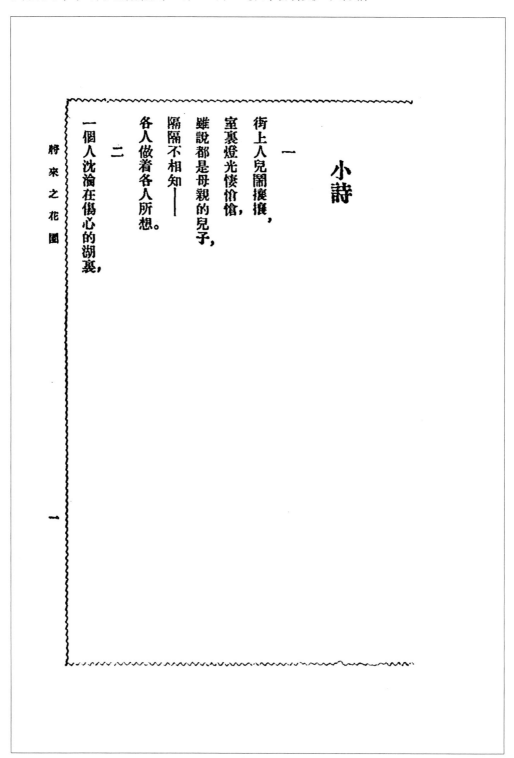

他所有一切的願望——
都沒結果的放射了。

三

失意的影子靜沈沈的躺在地上；
生命是宇宙間的順風船，
——不能作一刻的逗留；
總是向着不可知的地方。

二月十七日——上海。

小詩

誰來給我說句話？——不須怎好，只要是平安心腸。
誰來給我一個笑？——不必含着什麼愛，
只要是內心如此，不含着什麼陰險思想。

二月十七日

船

旅客上在船上，是把生命全交給機器了：
在無邊無際的波浪上搖擺着，
他們對於他們前途的觀察，計劃，努力，及希望全歸無效。
呵，宇宙間沒趣味，再莫過於人生了！

二月二十九

其次

未開船呢，等着開船；已開船就要盼望立刻到岸。
有時不顧想着，做些旁的樣來掩蓋這種情緒，
不自禁的打了個呵欠；
盼望的情緒，再沒這個熱烈了。

二月二十日

給母親的信

當我迷迷苦苦的思念她的時候，就心不自主的寫了一封信給她。
——料她一字不識——
待我用平常的眼光，一行一行看了這不甚清析的字跡時，我的眼淚，就像火豆一般，經過兩頰滴在灰色的信紙上了。

命運

前面是黑暗的；無論怎麼聰明的人，連他眼前一分鐘也不敢斷定沒有什麼不好的事情出來。
立在黑暗中的是命運——他揮着死的病的大斧，截斷了一切人的生活和希望。

記憶

一九二二年，一月，六日

一

人類生活着，同小羊跑進草場一樣，可以不經意的把各色各樣的草吃在肚裏，等到晚上臥在
牢圈裏再一一反嚼出來，覺出那些甜苦酸辛……
人類也同小羊一樣愚笨；總不能在現在裏嘗出甘，或苦的記憶！——或者這些甘，苦更不一定？
……
爲什麼我在寂寞中反芻……
爲什麼我肚中這麼多苦草呢？

二

人類又同畫家一樣；可以不經意的畫些松樹，淺草，小狐，耗子，在他週圍的牆面上。

後來這些小松樹，小草葉，小狐子，小耗子都中了魔術都刺針一般，妖怪一般的怒目相待他的主人。

這就是人類自己的魔鬼。

三，六。

「旅客的蒼前山」 輕歌二首

一

細風吹，白雲踏過林梢走；林梢常依風擺動，白雲一去不回頭。

二

細風吹，白雲踏過林梢走；白雲遠遠隨風去，空留林梢思悠悠。

三，十六。

不可捉摸的遺像

在這蒼前山住着，我的眼淚像小泉一般刻刻不停的透過密密的樹林，曲曲折折的流下山去。

我和我的一切隔離着，這些異鄉的美景簡直與我生不出關係來；

那魯山城外高低不平的地，小學校裏不很賊實的夫役，牆角旁一棵半死不活的小柳樹，……

在在都使我瘋狂一般的思念着。

呵，我實在……醉了……

三，二一。

小詩

濕漉漉的偉大的榕樹罩着的曲曲折折的馬路，
我一步一步的走下，
隨隨便便的聽着淸脆的鳥聲，嗅着不可名的異味……
這連一點思想也不費，到一個地方也好，什麽地方都不能到也好，
這就是行路的本身了。

一九二三，三，二十七日，蒼前山。

[illegible]

一步

我曲曲折折的順着道道山谷走下去。
我一步一步的走着，送到耳邊的是兩岸密林裏邊小鳥的清脆的歌曲；迎面
細風吹着——這是從太平洋吹過來的細風，滿含着極溫柔的溫潤，和野香。
軟鬆鬆的淺草，在我足下親吻，
我的脚一下，她也輕輕的躺下一點；但是總……
柔情而十分忠實的承受着我的脚底。
我想些什麼？
是這樣的：
什麼也不是，什麼也沒有了！

十

小鳥總是那樣的唱着，
細風總是那樣的吹着，
我總是一步一步的走着。

三，二八。

小詩

人生最好不過做夢，
一個連一個的
摺蓋了生命的斑點。

三，三十日

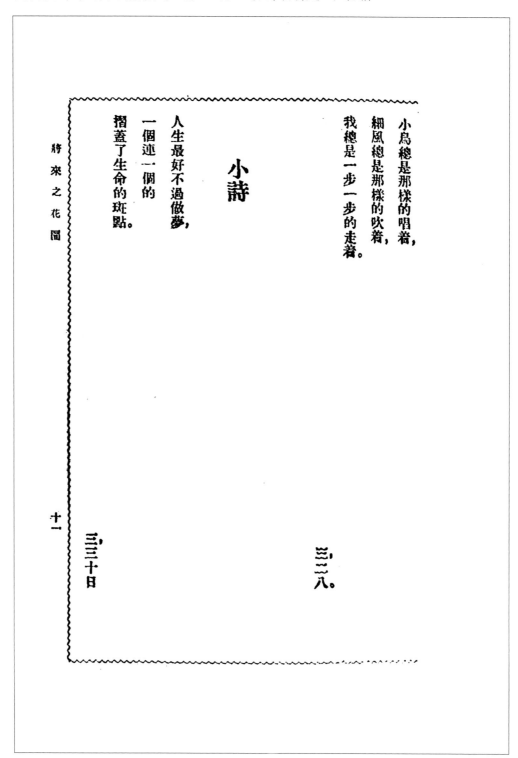

無題

一個小鳥不期然的落在窗外榕樹小枝上，
細流……離流……婉囀而清脆的唱了一板；
少微側一側耳，似呼要聽些什麽，以後
細流……
離叕……
正要一板一板的向下唱，
小孩子赤着脚跑來了；兩個空挑子，在他肩上不止的擺動，他唱着
妮妣……妮妣……

我無心的走出門去，
一步……兩步
我們的一切都在一個網裏。

三，三，一。

與愚笨的勞働者

愚笨的勞働者啊！
當你承諾了一項出款或種一工作時，
在你們那種犧牲的反感的情緒，和滿佈着血網的眼睛上，可以看出你們十二分的勇氣；
但是你們的勇氣是犧牲的。——

海鷗

你們痛快淋漓的放射着犧牲的情緒。

愚笨的勞働者啊！

上帝應該加福您！……感謝你們對於敵人的厚意！

四，四日

紫羅蘭與蜜蜂

紫羅蘭看見一個蜜蜂懶颺颺的在溫暖的太陽下飛着，她喜悅得發抖；

她十分的賣弄風情，她的色也十分鮮艷，她的氣也非常芬芳。

「呵，親愛的蜜蜂來來！我正在盼望你的親吻！」他瘋狂般的喊着。

蜜蜂飛着，沒精打采的說：

十四

「我正要工作；因爲到晚我必須得兩滿腿蜜。」

紫羅蘭微微笑了，她的容貌更鮮艶，她的芬芳更濃厚。

「我曉得你們同青年男子們一樣，你們的心常常是乾枯的，你們的思想常是苦惱而且是生

鐵一般冷枯的；是必須要柔情來溫潤的。……

來來，我最親愛，活潑的美蜂！

走近來！什麼都不要緊，你試一試走近我！

來來，什麼再沒這要緊；

我們試一試親個吻！」

她說着眼淚一滴滴的從花瓣上滴下來。

蜜蜂肩上重重載着責任和命令，他一點也不動情；他想了他的工作，很冷澀的說道：

「天不早了，我要工作去；再見吧！」

紫羅蘭急急的懇求道：

「且慢慢我──一定有蜜給你；速來速來──把你的嘴伸在我嘴裏──」
「不……──我要找野菜花去，我要找巧麥去……」
蜜蜂喃喃的說着，並且遠遠的飛去了。
紫羅蘭慢慢的低下頭來，沈沈尋思……
但是還是不息的放散她的香，濃着她的美。

四月五日

春天

落在田間小樹上的小鳥唱道：
春天來了──

春天來了!
放大紅的花牡丹,
黃色甘美的小櫻桃。
伏在田邊的小草,揚起小小的面孔來,唱道:
喝不盡甘露,
好溫柔的春風;
美麗呀,我的衣裳飄揚在空中。
騎在水牛背上的小孩子拍着他的兩腿,很浪漫的唱道:
沐浴呀,我們要沐浴了。
呢呢,呢呢……
我的小牛是很好的;
他會自己喝水,

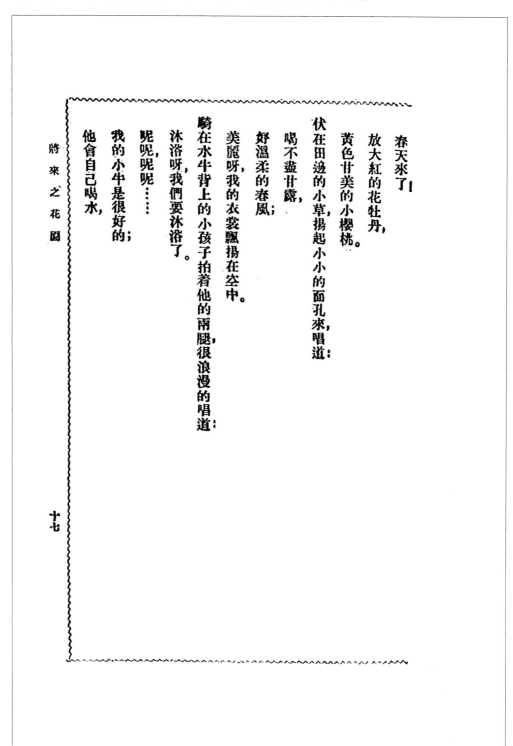

他會自己吃草。
——唱着，把牛趕進淺湖裏。
失望的哲學家走過，
逗留着無目的的尋求；
摟一摟亂髮，
慈祥的，端詳着小孩子，小鳥，小草……
彷彿這……告他說虛幻的平安。
倦怠的詩人走過，
拈一拈他的眼淚微笑蕩漾在枯縮的額上；
彷佛這點綴了他夢景的美麗。

一九二二，四，五日

人類的知慧

宇宙本是自由的；人類出來了，在自然的面目上劃界了許多圈兒。並且人人必須滿足這些圈子。宇宙從此湧現苦惱的泉。

上帝的愛本是普遍而且廣博的；人類在裏邊打起許多界綫——分了親疏厚薄——漸漸有了敵人。

人類明智的愚笨啊！爲什麼要自找苦惱呢？

四，五

妖鏡

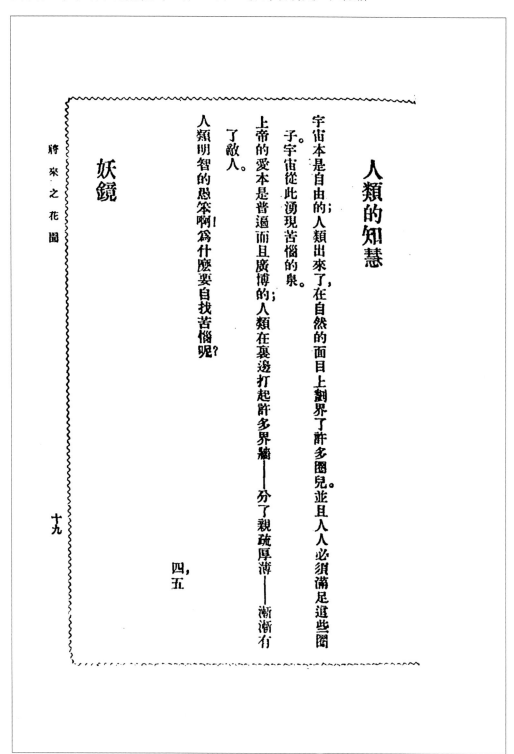

在奇怪的山洞裏的盡頭，可以摸着一面妖鏡；這面鏡沒有人類以前就在那裏了。
照着這面鏡可以看見無限的黑暗的處所，那裏滿滿都是情人和她的情人，母親和伊的兒子，
野心家思想家和他們所得到所想到的最後的影子。
從來沒有勇士，或熱烈的情人敢向那裏瞧；因爲一瞧到那裏，就要發見他最後的虛幻；並且不願意做人了。

四，五。

海鷗

世界上自己能夠減輕擔負的，再沒過海鷗了。
她很能把兩翼合起來，頭也縮進在一翅下，同一塊木板似的漂浮在波浪上；

可以一點也不經知覺——連自己的重量也沒有。
每逢太陽出來的時候，總乘着風飛了飛：
但是隨處落下，仍是他的故鄉——沒有一點特殊的記憶，一樣是起伏不定的浪。
在這不能記憶的海上，她吃且飛，且飛且鳴，且臥……從生一直到死……
愚笨的，沒有嘗過記憶的味道的海鷗呵！
你是宇宙間最自由不過的了。

一九二二，四，六

思念

嗚咽就是思念之聲吧；為什麼我思念你時就聽見嗚咽呢？
思念的味道是酸的吧；為什麼我思念你時心裏就有一種酸味呢？

思念的路道是黑暗而且朦朧的吧；爲什麽我思念你時，就昏昏入睡呢？
我在這黑黝而陳舊的記憶上，做着沒目的的旅行。

四，七。

眞實

喂，你們聰明人！
怎麽證明人是夢中呢？
在現在的太陽下的一切建築，一切牲口，一切樹，小鳥，朋友及市聲可以證明我剛才是夢中麽？
但是，在那邊何嘗沒有太陽及一切室屋，小狗，花，小鳥這些東西呢；並且很痛快得到所希望的一切事情，見了所想見的人。

頂好是這個——現在郵政局送這封信給我，是從北京來的；這個可以證明剛才是在夢中。
但是在那邊何嘗不得着北京的信呢？並且同情人走入野地裏，吃香蕉——極濃香而少酸的
香蕉——這味道現在還不住的現在我的知覺裏；
你可以證明這不是眞實嗎？

四，七日

花園裏邊的崗警

在花園裏的一部分，籬笆的轉角處，
一些牡丹正在驕傲她們的鮮豔，
細風拂拂吹來十分溫柔而且濃香；

早晨的太陽照得極光燦而且幽靜。

一個穿着強硬制服的崗警，兩手把棒拐在背後，沒精打采的站着——同騾子一般，這肢腿站困了，把全身重點移到那條腿上；一次一次的更換。

一般小鳥們，啁當，底淌，的唱着，

一般青年男女，都輕輕的一步一步，甜情酣蜜的走了過去；那些詩人，畫家更凝着風光出神；時間在此時現得速率……時間更是寶貴的了。

但是由這位疲乏的崗警看起來，彷彿這時鐘故意搗鬼；那一分鐘比平常一年還要長！

天知道，這位可憐的崗警在濃香濃美的花園裏能够想些什麼！——

在他那疲倦而且冷枯的心裏，一刻不離是怎樣支配這一月的餉——要求得好了，可以拿回來四千五百文先給房主說些好話，這個月的房租等下月；必須付債息二千多文……還有……小孩要餓……呵……飯是要緊的！飯是要緊的！……他眉峯縐着——這彷彿是天容的縐紋，人類苦味全在那裏了！

他凝視着地，好久沒有換腿；他的腿已經痲木得木石一般了。
花園裏小鳥總是唱，花總在笑着，詩人，青年，總在那裏，或者坐在淺草上，盡情的享受着自然之美；
時針故意的搗鬼，替代者也再不來了。

一九二二，四，八，蒼前山。

小詩

一

聽呵，人類！
你們是你們祖先的籠中鳥；

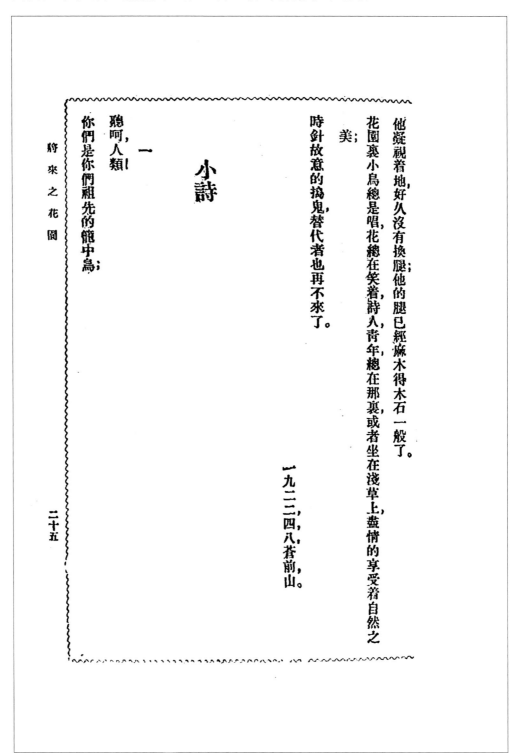

你的天天哭笑在你們祖先留給你們的幻想裏？

二

你們沒有一個能够，並且肯在百忙的虛幻的工作中，把你們小臉露出籠外，瞧一瞧這無限大的自由世界；

因爲你們的祖先告你們說：

在這裏！

人生永遠在這裏！……

這裏以外，更沒有什麽關於人類的東西了。

三、

孝順祖先是應該的——一生在這虛幻的籠中，何嘗不好呵，——爲虛而哭，爲幻而笑，……或者你們的心力，一切都被祖先型定；

你們將永遠不能，並且不肯，露出你們頭來。

虛幻將永遠收容了你們的一切了。

人與鬼

人生是鬼的前程，
鬼是人生的前程；
人的習慣說：
「死」是可怕的，可悲的；
「鬼」是黑暗的，陰森的，極難堪的——
一種戲角。
那知道鬼們不是這樣說：

「生」是可怕的，可悲的；
人是黑暗的陰森的極難堪的——
一種戲角。
……………
由死鬼到人生，
由人生到死鬼；
中間只隔着一層薄膜——
——這是死鬼和人生的祖先傳給他們的兒子的，使鬼和人的孩子們都受他們的生，怕他們的死。從此人和鬼的前程上都立着了一個最大而且最可怕的悲哀。

四，八。

人的世界

天一日問地說：
人天天做些什麼那樣忙迫？
地答道：
他們要上死地方去；他們忙着死。
天：
他們都走在一條路上嗎？不是吧；
他們都做一樣事嗎？
地：
誠然是複雜：但是都是帶着死的命令去的。他們都忠心於死；他們的一切行爲都爲着死，他們
所有的一切也都歸結在死裏。

天：

…………

地：

好比情人爲他的情人，要怕，要悲哀；母親爲他的兒子，要怕，要悲哀……

子女爲他們的父母，要怕，要悲哀……

人民爲他們的土地權利，野心家爲他們的所得所想；著作家爲他們的名譽，

都要怕，要悲哀……

他們怕着最後的死；

他們悲哀着最後的死。

在這中間，就發生一切他們所忙迫的事情；——有許多是從怕中做出來的，有許多是從悲哀

中做出來的；但是他們後來……

他們後來統通走入死裏邊了。

四月八日，

失敗的賭棍底門

每次結算賭賬他總要譁鬧，他不承認他的輸項，他老是氣憤憤的嘲道：

「你們爲什麼不把那一回加入呢？……那一回，耆前山一所茶樓的上邊街上正在迎神，……不是我一個人贏了王三五十元，張柱二百元，我贏了一共七百五十元……你們怎能忘記呢，……！」

這些賭棍們——就是王三張柱等——向來沒有和他表過同情；他們總是忙鹵着輕蔑嘲罵他一頓：

「賊東西，不做夢吧！」

他就不得不便賣了他的一切，妻子，小孩子……賞還他的伴侶所定爲他的輸項。

但是他總是疑惑！爲什麼我贏了總不算還呢？……爲什麼……

他記得他們在一塊兒白天或是黑夜，聚賭；有時贏了許多，也有時輸些——他實在分不出那是夢境，那是事實……

他十分難受：爲什麼我贏了總是夢呢！

有一天清朗的早晨，他開始他的工作；要證明他那一回的贏項却是事實。

他十分精細的端詳着他所有的一切；最要緊的是未入賭場以前的舉動。——這些舉動能把贏項運在事實上。

於是……但是他住的一間破草房，只剩四面破壞不堪的牆壁。他們立在那裏，死面一般立在那裏；實在不能把住記憶，作爲尋求的起發點。

最後他摸一摸那扇破門，試一試開閉；他十分新奇的把門閉上。他十分高興：這門是能夠改變現象——一定是事實了。最要的是順着這扇門想進賭場裏邊去，找出那一回是却是贏的。

於是他猪撈窩一般的扒弄他的記憶……那一回是先開了這門去出。……入賭場……不是

……這是……

好久好久，他的精神內澈，他直像死鬼一般的坐在地上冥想。

好久好久，他想到一場賭的最後，忽然

這扇奇怪而破的門嘎的一聲開了，一個很體面的中年賭棍，把一袋白亮亮的錢元倒在地上，

搜了搜自己的頭髮並且說道：

「這是你那場——在魯山芝麻店後邊那一回的贏項；約定的日期你不去取；今天我特地給

你送來。」

他十分驚奇

呵——……

喜悅露在焦枯的面孔上，他急急的高聲喊叫：

張柱王三——……

這可憐的失敗的賭棋——這回却不是夢——要和他同伴們算賬了。

一九二二，四，八。

雜詩

一

看那一滴滴的眼淚吧——
那是在黑暗的路上
一次迴轉一次迴轉的足跡——
——人類生活之歷史——

二

朋友們呵！
你怎知道我現在的處境呢；
這是火紅的鐵橋；
記憶在後邊笞着，
現狀在左右逼着，
我再三踟躕
再三迴轉
我竟索性的踏上了。

三

假設我沒有記憶，
現在我已是自由的了。
人類用記憶把自己擁在笨重的木樁上。

不一定是眞實

有些時我覺得我是一架青灰的骨骼，肋骨一根一根的像象牙一般的排列着連在脊柱上，頭骨也連在脊柱的上端，只有白線一般的呼吸管連着一片黑絨般的肺；躺在低橙上。

當母親燃着了乾草，泡一條溫水中，蓋在我的臉面骨上而叫道：

「我的孩子呀！」的時候，我那黑洞一般的鼻腔，微微的呼出些痛楚的氣息。

另外什麼也沒有了。

但是我仍然很沈默的躺；我驕傲般的自信：

「不一定是眞實！」

一九二二，四，九。

夢

不曉得我正在忙些什麽，大概是在講臺上總有些小耗子在我身上，頭髮裏，竄來竄去的不住的跳躍着。

當我聽見母親叫我小乳名的聲浪時，我就走出了這層夢景；我已覓在一條繁市的街上了。

但是這條街沒有一點可以引起我的記憶的東西。

我擠擠抗抗的走着，只覺得我的舌只有些小小澀滯而冰冰的東西，我吐了；呵，那是我大而方的一只門牙！我拾在我的手裏，多麽痛心的牙呀！

這事情再惡不過了；不知怎麽，那牙就一個一個的都從我口中跳出；我滿口沒有一個了。

我心痛而且恐慌的，捧着我的心，跑進了一個醫院；這個醫院，也同旁的一樣，前邊有一個廣場，後邊才是醫室。但是十分冷靜。只有一個肥大的夫役在一邊慢慢掃除地上的落葉。我忙的問：「醫生！」「醫生！」他彷彿沒聽見似的，又似乎聽不懂我的話，或不是全沒覺得似的。我叫得急了，後來他才冷冷靜靜的默示了我一個房門。

這時我抱了一刻極熱烈的願望；盼望即刻就有醫生答覆我這個凶殘的魔症。

我推開了房門，見一個西洋醫生，穿着寬大而且白亮的平常爲人沒病時所穿的外衫，躺在牀上。我以爲他是睡覺了，我正要叫出：

「先生可憐我！」

但我忽見那醫生是死人；在他那臘白的面貌上，和似閉未閉的灰色眼睛上，已有許多死的痕跡；死水已經從他口中流出來了。

呀！我的命運！——我立時昏倒在地。

但是我發覺，這並不是醫院，我却躺在一張書報雜堆的牀上。

在這裏有許多證據，可以證明我是一個教員，並且是一個作者。——有許多是書報館的來信，正要商量我的詩和小說的出版的事情。
呵，我的朋友，我的母親，我的兒子，……我開始爲我的夢哭了。
我嗚嗚咽咽的哭……
我不哭了，我細細的端詳着這景兒，我解得十分鬼怪。
秋後的枯枝，被風吹着，影子在牆上來來去去，呼呼的浮動。我孤零零的默想着。
這也許是個夢景吧！
我盼望一刻能夠走出這個夢景。

小詩

當我把生活結算一下，發覺了死的門徑時；

死的門就啞的一聲開了。
不期然的，就有個小鬼立在門後，默默的向我示意；
我立時也覺得死之美了。

快放的花苞

啊，你們老人！——快快展開你們的眉宇你們果然因爲死神立你們的前面而發抖了！
喂，我是時代的游客；我從上帝把生命的種子放在世界上那一剎那一直走到現在。
我曾踏過在有勢力的人，富人的骨灰——極惡劣的東西上；只有你們這樣老勞働家，老母親的花正開着。永遠的放着芳香。
賀你們的喜，喂，你們老人！

你們不是把許多事情放在你們的肩上而工作過嗎?
你們不是把種子下在田中，並且看他開花結果過嗎?
你們不是彼此互相戀愛過嗎?就是這個原故:
芬芳都含滿你們的身上了。

燃燒的眼淚

不曉得我多少年沒有回到故鄉了;
一天我偶然找到我的故鄉，呀!
什麽都沒有了。沒有一個人，或是他種生物還活在世上;在那荒涼的廣野裏，只剩些壘壘的墳
墓，和碎瓦片了。

呵，我的親人！這些就是你們嗎？
在這些東西上，可以證明你們曾生活過；
爲什麼……爲什麼只是如此了……
我四方悵惘着哭，我的眼就用小河一般流到地上。
我哭到沈醉沒知覺的時候，忽然大地從我脚下裂開；我隨時也墜落在裏邊。
一位白髮的母親正在張着兩臂迎接我。
可憐的孩子，你也來了！她說着，我彷彿沈在溫泉裏。
那些眼淚卽時在秋後草根一般的枯骨上燃燒起來了。漸漸燒起墓上枯草。

小詩

一

假如人類知道世界同一隻小船一樣，
一直不停的向不可知的地漂去；
他立時就發覺他們行走是沒意思的——
——同不生活一樣——同不走一樣。

二

我們的面前是一條黑暗的長路；
因爲我們不能立定或是向後轉，
我們一步一步走下去了。

三

小鳥叫着清脆的聲音，
昆蟲響着凄楚而弱小的響聲，

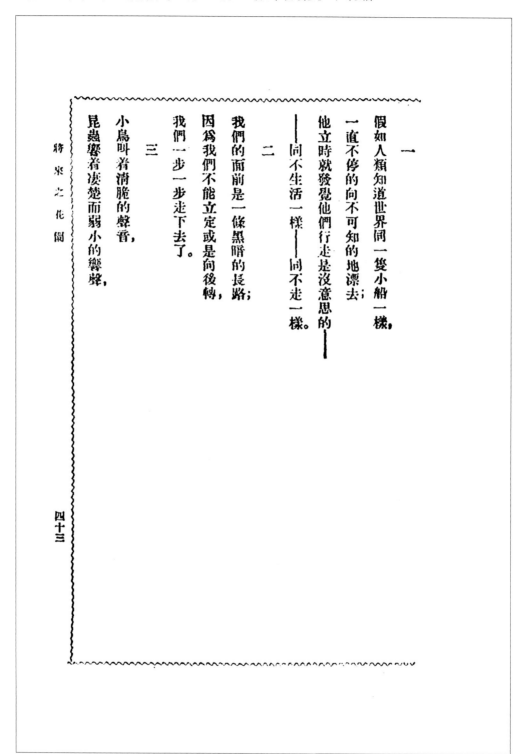

牡牛叫着粗暴的聲音，
人類說着狡猾的語調，
宇宙間生物
總是這般沒意思——
——可憐；
誰配得厭厭誰呢。

小詩

一

在這寂寞，無聊的夜間，

我的思想像豆一般，一沉，一沉，入了
黑暗深洞；
全是墓地——陰森的世界……
這只燃燒着淡白光亮的蠟燭可以叫着生物嗎？
我好久好久聽不到一點步聲
小響……

二

絲……絲……
絲……
我腦海中的生命燃燒聲
——時間一斷一斷的毀滅了。

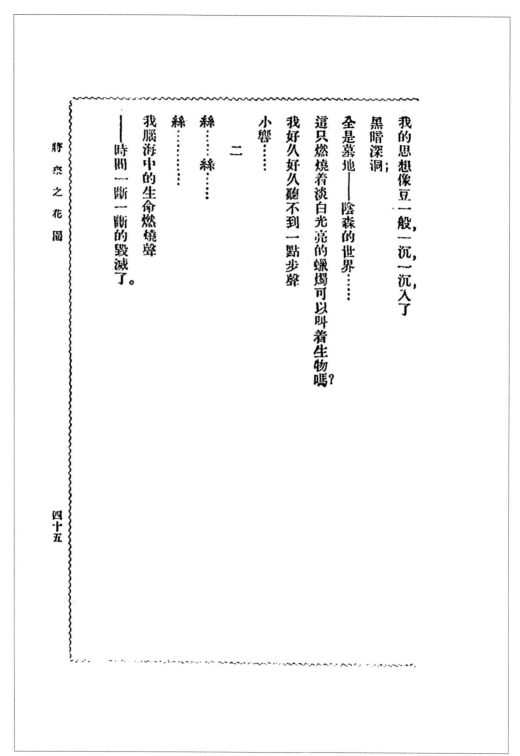

詩

這枝筆時時刻刻在微笑着；
雖在寫着黑濁的死墓中的句子。

名譽

讓你的可憐的蒼白的青年們拿去吧；
我要到人類的末路去。

心

苦酸的心中
總是這樣直率忠笨；
縱的，橫的，各色的話，都許人們說的！

徐玉諾先生之地板

徐玉諾先生之地板總算奇怪的，……沒法說；
不知道是他的脚小呀也不知道是地板的木纖維的空間；

他走動起來，總是跳黑阱一般，一下一下都埋沒在地板裏。

小詩

一

好寶貴的鏡呀！
裏邊坐一個相憐的同伴。

二

只有一面小窗孔，可以瞧見光明；
我心心念念的想把他閉上。
可憐的心理呵！

他怕發覺了他自己的存在!

三

在這個小小鑲着黑色玻璃的窗孔中，可以看見一條長橋，
這條橋是用小孩子們一方一方的幻想砌成的；從小孩們的心上，一直通到不可知的處所。

鬼火——一至六——

小詩一

惟嘗到人生的苦味的人，
對於人生乃眞沒趣。

沒有嘗到的人
總很有興的前進：
他總覺他以為有味的東西在他前面。

小詩二

自殺還算得有意義的；
沒意思的人生，
他覺得自殺也是沒趣味。

落日之影 三

眞有些人能夠領略這個太陽的意思！
他紅鮮鮮架在
晚間接天空的西方的蒼茫的海上，
一會沒有了！……
什麼事情也再沒這個有興趣；
沒有了，什麼也沒有了！

小詩 四

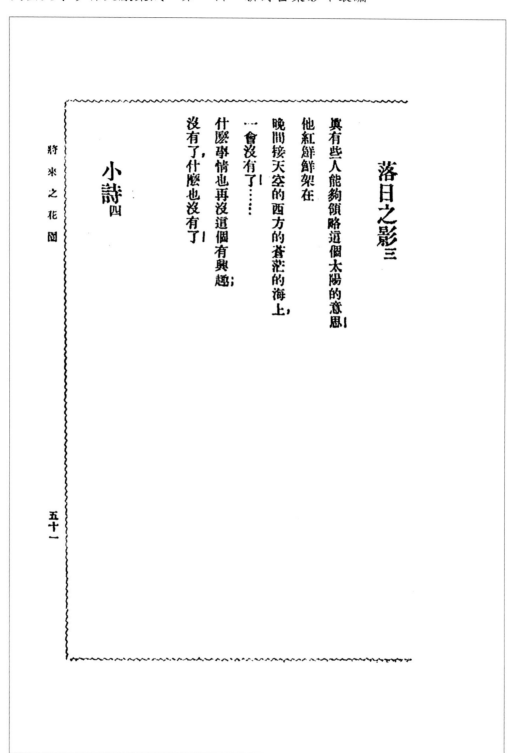

太陽落了下去，
山，樹，石，河，一切偉大的建築都埋在黑影裏；
人類很有趣的點了他們的小燈：
喜悅他們所見到的；
希望找着他們所要的。

枯草五

人生如同懸崖上邊的一枝枯草；
被風吹折，
顛顛連連的墮落下來了。

鬼火 六

繁星一般的鬼火，
淡綠而且晶瑩，
悠悠的蕩漾在墓的世界；
這就是人類最後之光嗎？

雜詩

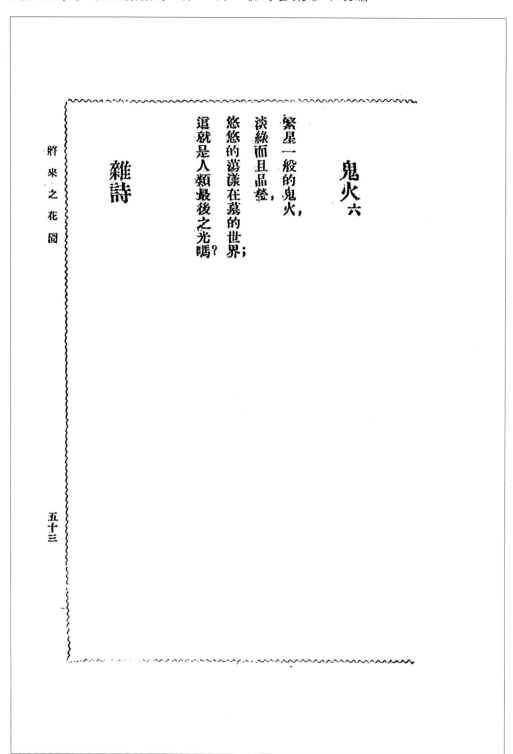

一

生在懸崖上的青藤，她的生活是倒懸的；
她的世界是豎面的。
但是她們快樂而且有興……
輕唱着她們的祕密。

二

一根火柴燃着了：
馬上又熄滅了。
但是他的光芒，
照澈了世界。

三

深黑而且酸苦的心，

沒有什麼可想；
但又不能不想。
時間就這樣過去了。

現實與幻想

現實是人類的牢籠，
幻想是人類的兩翼。
…………
一隻小鳥——失望的小東西——
他的兩翼破碎而且潮溼；

海鷗

他掙扎着飛起,
但他終歸落下。
…………
啊,可憐的脫不出牢籠的人類呀!

一九二二,四,十四。

小詩

當我走入了生活的黑洞
足足的吃飽了又苦又酸的味道的時候;
我急吞吞的嚥了嚥,

我就又向前進了。
歷史在後邊用錐刺我的脊梁筋；
我不愛苦酸，我却希望更苦更酸的味道。

一九二二，四，十四。

沒意義的人生

一個渴望人生意義的人，他帶着火一般的眼睛，
赤着足跑遍了世界；
他的呻吟是苦處，
他的歌唱是無聊。

他的眼睛暈花了，他的足骨磨透了，世界也找遍了，人生還是沒意義；

他氣絕了呻吟；無聊的歌聲也唱不出來了。

※※※※※※※※

※※※※※※※※

人類的研究者說；人生的意義在掘破生物化石的半雲中。他也爬上了峭壁了。

老年的哲學家說：人生的意義在十字路上。

他也曾看着人忙忙迫迫的過去了。

小孩們嘲着：人生的意義在湖底的汚泥中。他也深深的沈在汚泥裏。

人生充滿着沒意義，他也氣餒而且疲倦了。

一九二三，四，一四。

小詩

一隻失了舵的小船在黑暗，暗潮洶騰的海上漂着。

鬼

什麼東西不變成鬼呢？——
但是人的鬼比
臭蒜的鬼，狗的鬼，狠的鬼更可怕；
因爲我們料定
他會演出人類的醜來。

他能戴着禮帽……同人一樣，
並且做着人的事情。

夜聲

在黑暗而且寂寞的夜間，
什麽也不能看見；
只聽得……殺殺殺……時代吃着生命的聲響。

一九二二，四，十四夜。

小詩

在夜間的窗孔中，你能看見
那一個地球正要向着一灘極不光明的暗醋液體裏沉了下去。

小詩

當太陽又要出來的時候，
鵲兒，烏鴉都要哭叫；
這就是爲人類同情的悲哀。
我們不愛再見太陽了！

可怕的字

徐玉諾

當讀完「人生之最後」一首詩，
嘆了口氣，說「眞沒趣味」的時候，
那末尾一個字立時變成了一條
殘廢不堪的癩狗；
他目不轉睛的瞪着我——
他的眼睛十分狡猾，並且帶着十分惡意。
我耐性降下又上來，我閉了閉眼睛；說

一九二二，四，十四夜。

「和你這沒有趣味的東西沒有什麼理論。」
他更是驕傲而且狡猾的說：
「我今天却要和你理論」——他說着，怒目眈眈大有欲捕之勢。
我的紅血管立時澎漲了起來，
我用掌打他，意以爲他閉了眼睛，或是擺過頭去就算了事。
事情却更失敗了！——他那黑紅的腦汁竟濺我一頭，一身……
我全失了知覺，恍恍忽忽的聽得母親悽楚的聲音，說「好難洗下的惡作劇呀！……」

故鄉

浙浙瀝瀝的雨滴，穿破嗚咽的哀音，滴滴滴到故鄉的像片上；

思念的道路從此湮了，滑了，並且那一片一片的道像上都發出一種悽楚的悲酸的味道來。
故鄉也永遠不可思念了。
我的，不可思念的故鄉呵！

一

滿眼是白馬奔騰的大海，
一瞬千變的天雲，蒼蒼的摺蓋了故鄉的圖畫；截斷了故鄉的情絲。
太陽一抖一抖的落下去了！
異鄉的孩子，性急而且無聊；
太陽墜着他的心了。

二

那裏是魯山的山谷？……
兩匹母牛，三頭牛犢依傍着，

沈靜靜的在一個小平原上吃草;
小犢也不叫，什麽聲音也沒有;
我同小弟弟不言不語擺弄着小石……
呵，我們且擺弄擺弄小石!
——我，小孩子的鄉土，在，在那裏了!

三

那裏是魯山的田園?……
被小河縈繞成一方一方的，
遍地是祕密深濃的高粱，
父親不歇的耘田，我剛從小河中爬了上來，我正要割草了。

四

海風一陣陣的衝開了窗門，

異鄉的小孩子失掉了一切；
故鄉的影片，一片一片的都飛散在不可知的海上
漸漸的被海水逕了。

一九二三，四，一五。

將來之花園

一 將來之花園

我坐在輕鬆鬆的草原裏慢慢的把破布一般摺疊着的夢開展；
這就是我的工作呵！我細細心心的把我心中更美麗，更新鮮，更適合於我們的花紋織在上邊；
預備着……後來……
這就是小孩子們的花園！

一九二二，五，三。

二 晚霞

太陽已經沒有了。
海鷗也漸漸不見了。
但金光燦爛的晚霞，更慈祥的照在海上，
現出幻妙的，盪漾不定的
小小一隻孤舟的影子。

——五，四，晚。

三　在黑影中

假若你在黑暗的夜間，你一個人來到這寂寞而且沈濁的密林裏；
那比在光亮裏更有趣！

你能聽見：
這一個樹葉拍着那一個的聲響，
蟋蟀的悽楚，
疲倦後的小鳥的密語！
寂寞——莫名——的美妙喲！
——黑暗的美麗喲！
只有深藍的點着繁星的天空從林隙中看出渺渺茫茫的星光。

——五，四，晚。

四 新歌

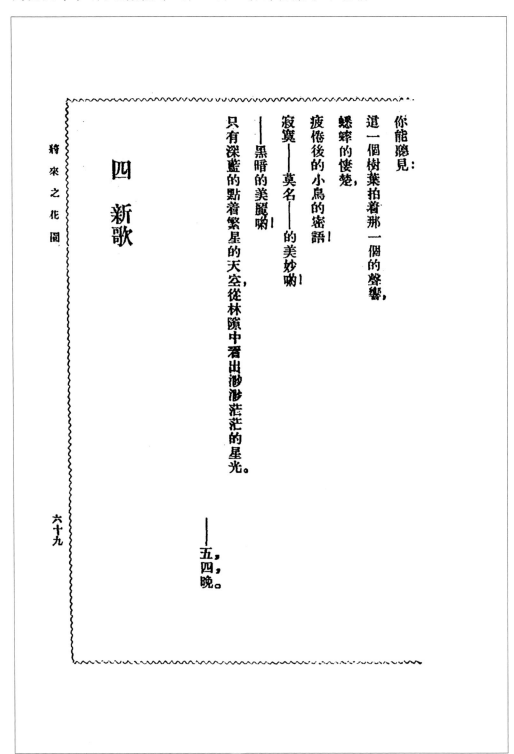

喂，我們的歌者——一個奇異的小鳥！
不要這樣懷楚太陽終要出來呢。
喂，我們的歌者！
不要唱這個這會教我們的心，一個小心酸痛起來；
唱個新的，讚美那沈沈快去的太陽！
表明她——太陽——賜給我們的——黑暗——的美滿！
表明我們怎樣歡迎她給我們的快樂！

五，四，晚。

五 她

當我起初看見她的時候,
我覺她很像一頭愚笨的驢;
人類終不受物質的隔閡呵!
現在雖說不能聽懂她那ABC合起來的話,
我却感到同樣的女子的柔情——心情的美麗。

——五,五。

六 小孩子

久閉不開的門階上,
坐着兩個三歲左右的小孩子;

他們彼此殼有許多話說，
慢慢把一隻小草葉拿起，
舉到頭上；
又慢慢的放了下來。
他們咿……咿……咿……的歌唱；
他的歌曲是沒有字意的。

五，五，〇。

七　踏夢

我曉得了！我曉得了！

在夢裏却不像道路上，一步一步的走去；
那些路也奇怪！
是用上下可以自由的綿質鋪成的。
一點也不用足力！
只要把腦袋躺在上面，
那一曲一折，像是山谷小河的，就走了下去。

——五，五。

八　故鄉

小孩的故鄉藏在水連天的暮雲裏了。

雲裏的故鄉呵，溫柔而且甜美！

小孩的故鄉在夜色罩着的樹林裏小鳥聲裏唱起催眠歌來了。

小鳥聲裏的故鄉呵，仍然那樣悠揚，慈惘！

小孩子醉眠在他的故鄉裏了。

——五，五。

九　醒

當我恍然如失，剛從夢中醒來時，

就像河流中的枯葉被岸邊的沙石留住似的，脫出了故鄉的境界；
窗外叢翁的榕樹林中，小鳥啁啁的不住的鳴；遠遠看見馬尾海上的小波，影映而且跳動。
我是不是還在故鄉？
現在可曾是夢？
難測呵！
不知道是些什麽東西離開了我那愚笨的心中。

五，五，午。

十　墓地之花

春天踏過了世界，風光十分溫潤而且和藹；

凸凸的墓場裏滿滿都長出青草，
山果又開起花來。
我跳在小草上，我的步伐是無心而安靜；
在那小小的米一般的黃或紅的小花放出來的香氣裏，
覺出極神秘極濃厚的愛味來。
墓下的死者呵！
你們來在何時何代？
你們的牀榻何等溫柔，你們的枕頭何等安適！
年年又爲你們的同伴送出香氣來。
墓下的死者呵！
你們對人生是不是乏味；
或者有些疑惑？

爲什麽不宣告了同伴，大家都來到墓的世界？
春光更是絢爛，墳場更是沈寂；
我慢慢的提着足向墓的深處走着。

——五，五。

二一 問鞋匠

鞋匠，鞋匠，你忙甚？
——現代地上滿滿都是刺，我將造下鐵底鞋。
鞋匠，鞋匠，你愁甚？
——現代地上滿是泥，我將造出水上鞋。

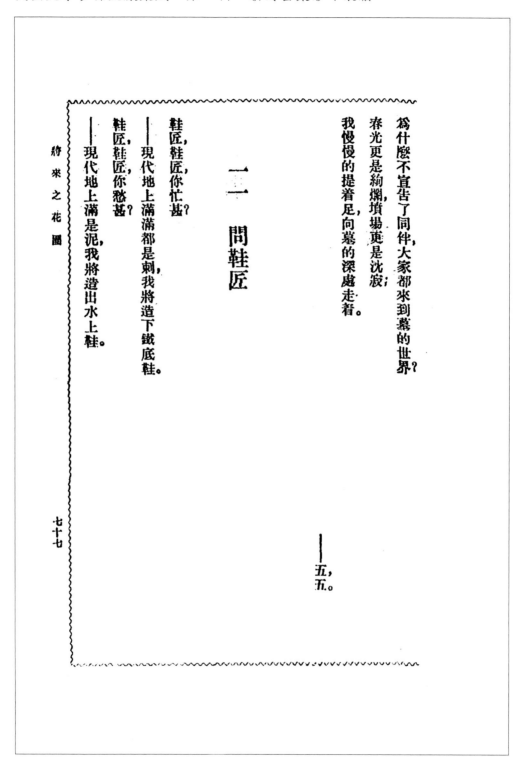

鞋匠，鞋匠，你哭甚？
——世界滿滿盡是疽，怎能造出雲上鞋？
鞋匠，鞋匠，你喜甚？
——我已造下夢中鞋。

張哥，來！李哥，來！
一齊穿上夢中鞋！

——五，五，夜。

一二 歌

獨伴小燈，
默聽夜鷹叫；
辭舊念特把冷酒吞，
多盼望，快轉過一個太陽，
一步步進入不可知的逍遙。

——五，五，夜。

一三　鐵匠的音樂

風箱一陣一陣的吹，
火餤一閃一閃的燒，

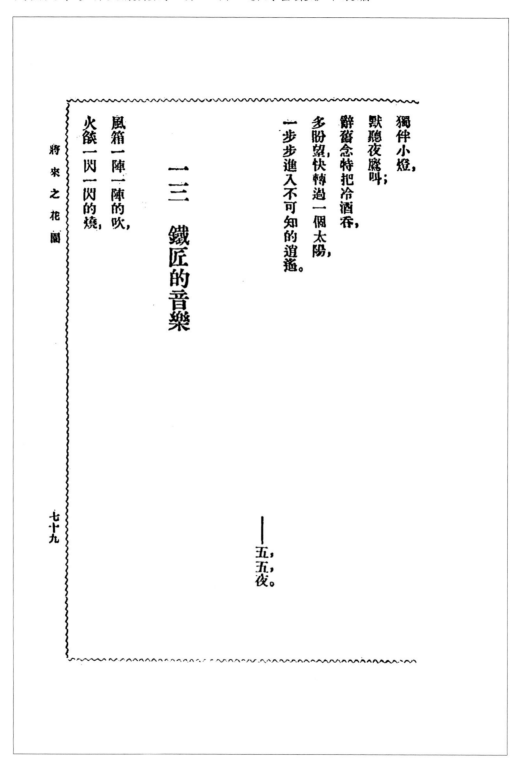

呼，呼——呼

呼，呼——呼

時候到了，鐵也紅了，

鏗，鏗——鏘

鏗，鏗——鏘

鏗，鏗——鏘

鏗，鏗——鏘

鏗，鏗——鏘

鏗，鏗——鏘

五，五，夜。

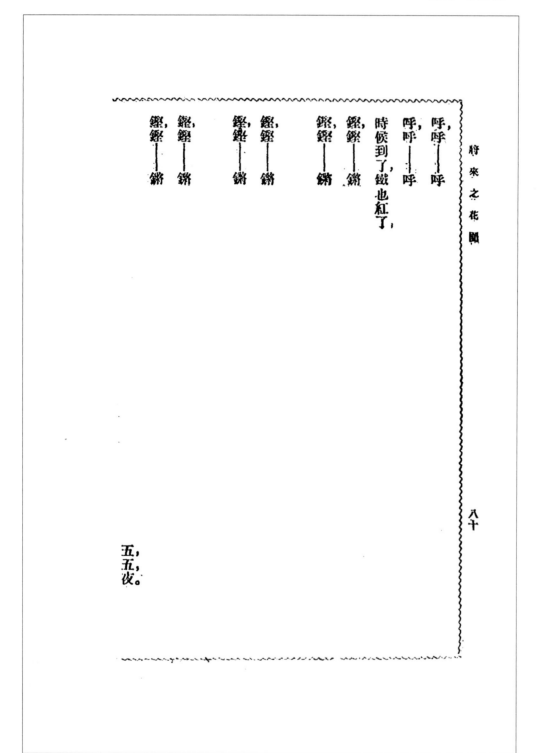

一四　豫言者

他的豫言是從什麼地方來的？
那，誰也不知道！
但他並不能做他的豫言的主人；
並且豫言一出來之後，
連他自己也害怕起來。

——五，六。

一五　宣言

我們將否認世界上的一切——記憶！
一切的將來都在我們心裏；
我們將把我們的腦袋，同布一樣在水中洗淨，
更造個新鮮的自由的世界。

——五，六，午。

一六　小詩

一

什麽是夢什麽是實事？
不過是人類記憶界的間隔；
在這裏，必須離開那裏。

二

什麽是生；什麽是死？
不過是人生知覺上的限制；
在這裏，不能知道那裏。

三

我們所知道的而且能想像的盡是夢；
眞實是我們所沒想及，不知道的。

——五，六。

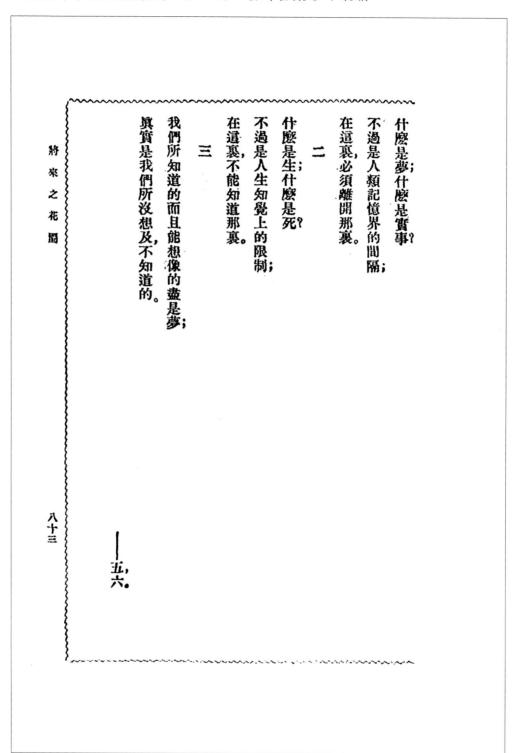

一七　沒趣味

人生會能得到新鮮趣味麼？
在現實的事實，
也是在夢中的實事。

一八　世界

……世界一切不好的事情都從此發生……

——五，六。

人們盼望，計較他們的記憶上將要發生的記號因此而喜悅，失望，妒忌，悲哀……
世界上的國家……
一切主義……
一切事業，行爲……
但這些記號，未曾印在上邊，馬上也又不見了。

——五，六。

一九 送殯

要用震天的大破奇怪的音樂，使人記憶；
使人曉得一個人死了。

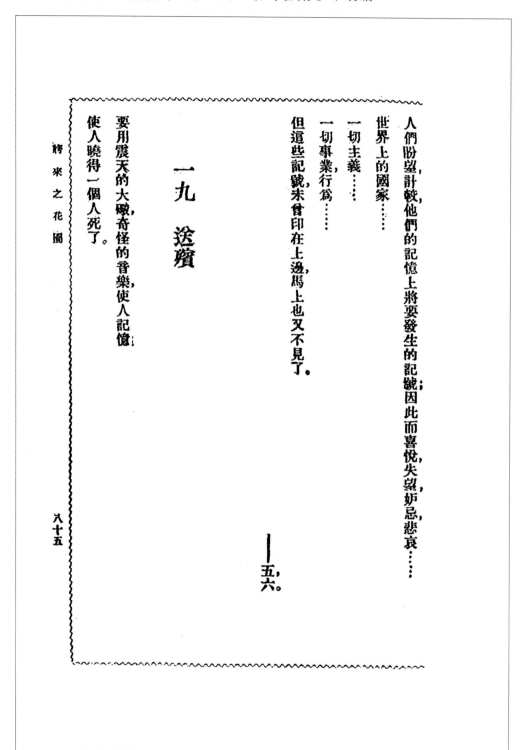

是可喜呀，還是可悲；我全不能明白。
我只是這様的印在上邊：
一個人死了。
或者印在石上，一個人死了。

——五，六。

二十 小孩子

我們的步伐，是小羊
在羊場上的跳浪；
我們的歌唱，是小鳥

在樹林中的流澌；
我們的心
浪漫而且狂熱。
我們不知道：
什麽是國界，所有權……？
什麽是法律，道德……？
我們說這個世界，
自由自在的世界，
就是我們的世界。

——五，七。

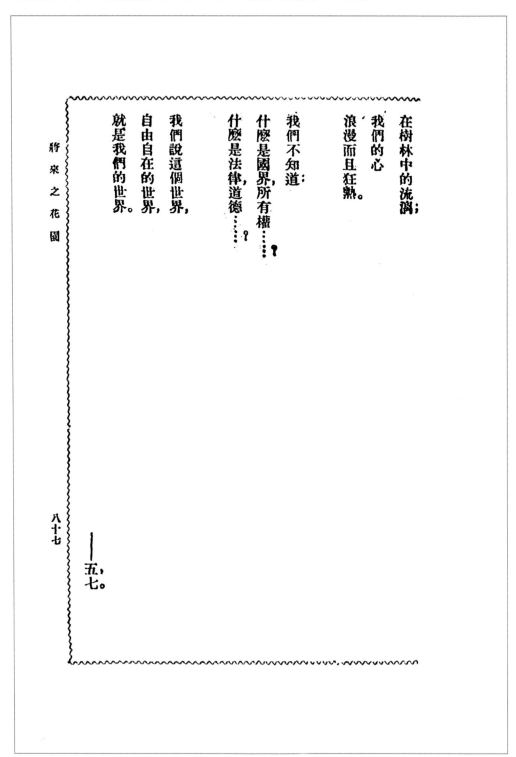

二一 唱

我要深長的唱，
唱給我可愛不可卿的你；
我愛的是林中點點透視的明月，
却在一點明月中遇着了伊。
我心神顫抖着……
我氣塞，不能言語；
我心慌而且恐怖，

我慢慢的過來；
伊也慢慢的走去。
皎潔的明月呀——我不曉得
愛在伊呀，還是在你？
爲什麽
看見你了，就想起來伊；
想着伊時，却忘了你？

——五，七，晚。

二三 擡棺材的人

有些人擡着一口黑棺材過來，
又有些人擡着一口紅棺材過去；
他仍然興奮的工作，
有興的唱着邪邪許許。

——五，七，夜。

二三　我告訴你

朋友，我告訴你；當我死了之後，你聽着不相識人的傳說或郵使的消息的時候，你不要哭泣！
我告訴你，你千萬不要哭泣！
你只默默的，或者帶着微笑，掩蓋了我的屍體；因爲我這是離却苦惱的開始，是可賀可喜的。

朋友，我告訴你；當我死之後，你千萬不要哭泣！
你若哭泣，更引我在天國的不安；會教活潑喜笑的面孔，變成悲愴哀悽。

——五，八。

二四 詩

輕輕的捧着那些奇怪的小詩，
慢慢的走入林去；
小鳥們默默的向我點頭，
小蟲兒向我瞥眼。

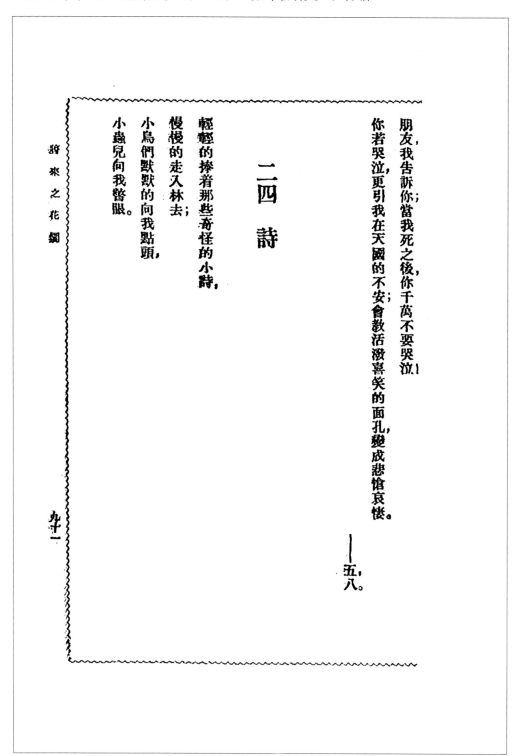

我走入更陰森更深密的林中，
暗把那些奇怪東西放在溼漉漉的草上。

看呵，這個林中！
一個個小蟲都張出他的面孔來，
一個個小葉都睜開他的眼睛來，
音樂是雜亂的美妙，
樹林中，這裏，那裏，
滿滿都是奇異的，神祕的詩絲織着。

——五，八。

二五 她

她早死了——她死時我才六歲——
但是我還記得:
麥隴中慢走,她拉着我手,
她怎樣和旁的女郎談笑……
有一次晚間,她一個人坐在屋裏,
我把門一啓一閉的游戲……

我還記得:
母親怕我像小賊一般,不讓我走近她;
她沈沈濁濁的說着:

『出去玩去吧，好孩子，你不知道你的姊姊有病！』
我從窗孔看見她，披着亂髮，急吞吞的把一碗黑水喝下……
不知爲什麽後三天外祖母苦不讓我跑回家？只是門前一座矮樹林中，我急得亂哭亂跳……
我却看——但是我不明白——一口大大白亮的棺材從我家裏擡出去了。
……爲什麽我的母親那樣喊叫……？

年復一年的我長大起來，母親每春教我爲她掃墓；
她這麽的說，
我那樣的想，
在田邊的一棵小椿樹旁，那一堆土就成了我的姊姊了！
傷心呀，我，我一生就此一個——那樣的——一個，不會說話，永遠不會說話的姊姊！

年復一年的我跑進了大都會，又爬過了山；現在又漂過這萬頃起伏不定的海；
那小椿樹——我再沒被母親叫着爲她掃墓——
那一堆土，我的唯一的姊姊；
她，她現在又怎樣！

不敢想呵！童年，傷心的記憶！
我漸漸沈醉入迷……
我的眼淚都酸化在我心中了……

但是奇怪呵！
這是她，一定是她，

還是她那精神模樣！
難測呵！
她怎能活在「現在」
又在這
白亮而且光潤的紙上？

五，九，下午一時。

二六　向往

我嗚嗚咽咽的

向她哭祈;
我心神止不住的顫動,
我頓足搓手的
向她跪神。

她有感覺呵,
她當怎樣的明白——
——我是如何的醉心!
神靈總肯保佑呵!
我的愚笨的心靈的跳動……
跳動……
她當怎樣的感動!

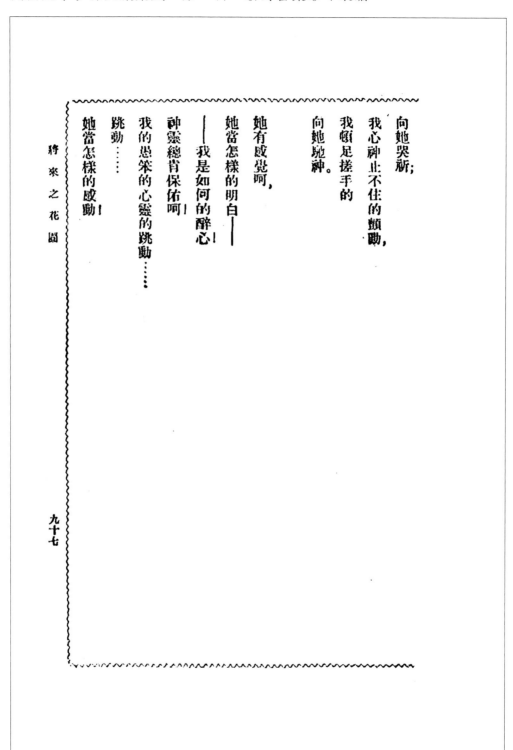

二七　小詩

我的亂髮乘風飄拂，
髮上的花兒紛紛飛舞。

我的小指，萬能而且神妙；
能指着太陽，使那太陽不敢行走；
能在汪洋的海洋上
劃出一道大而且長的橋。

——五，九，下午二時。

二八　別

熱蒸蒸的被太陽炒熱的空氣
拂拂的透過紗窗，
兼帶着隔岸織布工廠裏工作的聲音；
這便刺醒了狂人——孤寂者——之迷夢，
重來到冷冷枯枯不適心願的世界。

——五，九。

——五，九。

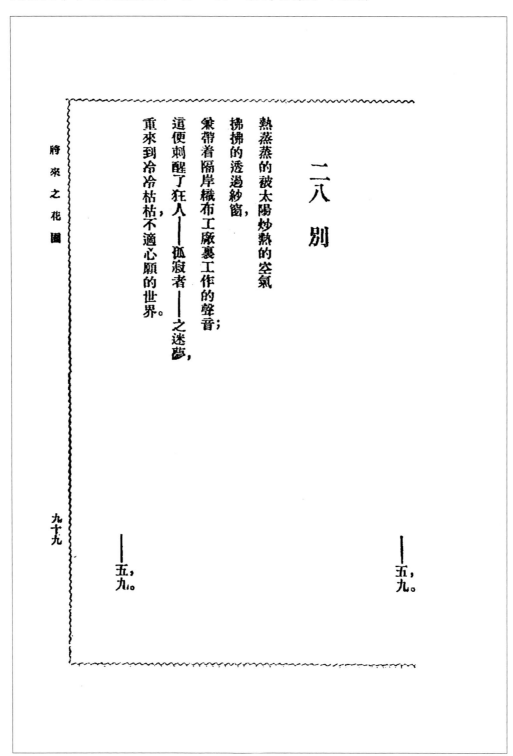

二九　鳥聲

我的詩，要不像這樣寫了；
我將躲在極葱蘢的矮樹林中，
細細的彈着我的心弦，
讓小鳥淌溜淌溜的叫。

——五九。

三十　微風

當太陽剛剛沈下山去
我從夢中醒來，慢慢的走入樹林的時候，
那微風吹得輕細而且溫柔；
千枝萬葉都悠悠的擺動，
我的短髮紛紛的披拂。
平安的自然呵！
從你那低微的歌曲裏，
送來了神祕的甜蜜！

——五，九，午後四時。

三一 小草花

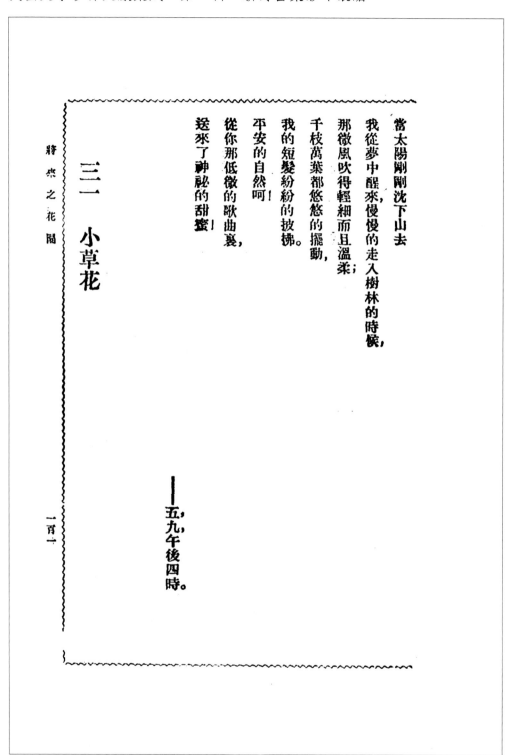

米一般黃或紅的小花，
摺美了田邊，山林；
在百草叢中
偷偷的放出香芳。
小小草花，纖弱的處女呵，
你是失意者之愛人！

——五，十，早。

三二　砍柴的女郎

成羣結隊的窮家女人

上了山又下了谷，穿過一層層的樹林；
她們走且談笑，
她們各帶斧頭和糉飯，
她們的歌唱悠揚而且清脆。

——五，十。

三三 枯葉

偶然拾起一片枯葉，
便無心的銜在嘴裏；
他那朽酸而燥濁的味道，

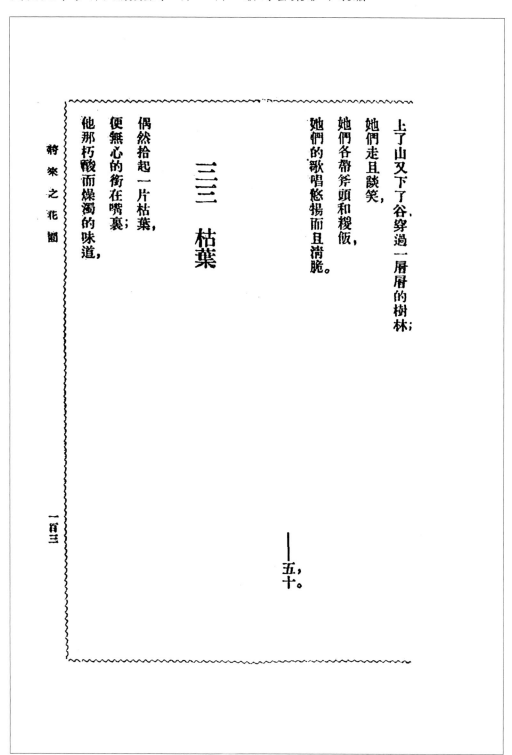

滲透我的心——激起一陣陣的悲意；
立刻，送我到故鄉的秋裏。

我的步子蹣跚而且踉蹌，
無心，隨便的走下；
我的歌聲嗚咽而且悲悽。
不曉得我是怎麼着要到那裏去！
枯葉呵，
在你我嘗着了人生的滋味。

——五，十。

三四　先生

這是爲我們請來的先生，他來到教壇上正要爲我們講書了；
呵，魔術呀！我們一個個都心神跳動起來，我們一齊嚷着：
讓我們親個吻吧！
——這是心靈的呼聲，大膽的迸裂。
看呵！他，他也不能講那ㄅㄆ……ㄎ……了！
他神不服膽，他要倒在我們的懷中了。
我們把他放在一個可以推行的搖牀上——
這是爲將來我們的孩子預備的——
用輕颸的絲巾蓋好；在秘密的樹林下，綠毡似的淺草上，推着走……
我們唱的是我們心中熱狂的，浪漫的情詩。

要是有人在這催眠的音樂上點出一聲：
這是誰？
我們將直爽的說：
這是我們的先生！——我們的小寶貝！——他！
他正要醉眠着哩！

——五，十。

三五　一點墨

我的眼睛像兩隻美麗蝴蝶一般，一默一看的繞過這一片蒼色的圖畫——一片奇怪的高低不平的圖畫；

被一點小墨留住了！我依依戀戀環繞這個小墨點，這小墨點就現出無限的深奧；
是一個溫和而且美麗的世界，可以一步一步的走了進去。
這是我的愛人的一隻眼睛呵！
我在裏邊我必須活在那裏，我的，我所要的一切都在那裏了！

——五，十，夜。

三六 一個字

愛神送我一個字，
——愚笨而且堅剛；
我左右翻弄着看了看，

找不出他的用處，
把他放在一個小櫈上，對着可以通陽光的窗子。

當沈默的夜間，
夜鶯寒森森的號哭時，
一道白光在窗下小櫈上輻射着，
我發覺了新的世界在這個
黑暗而且寂寞的纏繞裏。

——五，十，夜。

三七　愛的表像

他的愛人送他小小一方絲巾，上面寫着：
『要她替我看待你』！
他心神跳動着看了又看，他沒心似的舉起兩臂，忽然覺得害羞似的又放下來；他心慌，他的面頰忽然發紅，又忽然青白；——
——狂駒得着了泉水——嘗着溫柔的人，就是這樣了！

——五，一一，早。

三八　甜蜜的睡

當我忘却了一切，
沈沈入睡的時候，

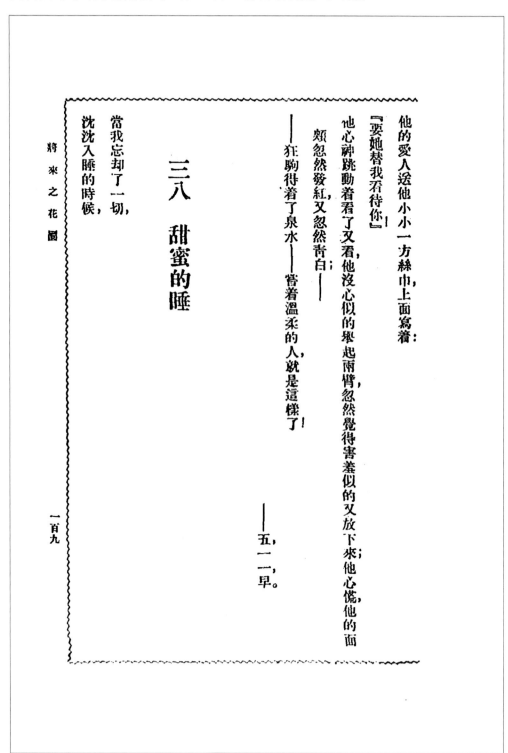

她還安安靜靜的坐在身邊。

她念我該有一會兒安眠，
不忍叫我；
她慢慢把紛紛的情絲結了一束，
放在我的心口，她也慢慢的去了。

五，一一，午。

三九　冷

當我們倆互相戀愛那些日子，

那太陽是多急燥熱烈!
現在還是活着的你和我,
那太陽却成冰一般的冷枯了!

——五,一一,午後。

玉諾的詩

葉紹鈞

假設我沒有記憶，
現在我已是自由的了。
人類用記憶把自己纏在笨重的木樁上。

這是玉諾的許多雜詩的一首。他最慨憤於記憶，因爲他是一切痛苦罪惡醜陋等等的泉源。雖然記憶也幫助人類造成了許多事物，但比起他所給與的苦惱來，實在同一粒粟和一個大海。我常這麼空想：『不要管生物學的方法，也不要說一切事物有自然發生，欲適其宜的傾向，我們且爲假想，倘若當初不走了傾向現在的路；或者沒有了記憶，使後人無從蹤跡昔人的路，現在將成什麼情形？這是不可思議的。從我們的心願說，也許到現在的時候，絕不同現在的情形，却要佳勝得多吧。』玉諾不但這麼空想，他並且辨出了記憶的味道。他在又一首小詩說：

當我走入了生活的黑洞

足足的吃飽了又苦又酸的味道的時候，
我急吞吞的嚥了嚥；
我就又向前進了。
歷史在後邊用錐子刺我的脊梁筋；
我不愛苦酸，我却希望更苦更酸的味道。

他的記憶確是非常的酸苦。只就他的境遇說，他的家鄉在河南魯山縣，是兵和匪的出產地。他眼見肩着槍殺人的人揚長地走過；他眼見被殺的屍骸躺在山野；他眼見辛苦的農人日間給田主修堡，夜間更給田主守堡，因為防着搶刼；他在因運兵而斷絕交通的車站旁邊，眼見在塵埃裏掙扎的醉漢，止求賞一個錢的娼妓，衙門裏的老官僚，連路賭博的賭棍，東倒西歪的烟鬼和玩弄手槍的土匪，而且與他們作伴。當初同他一起的人，後來他覺得他們變了，雖然模樣依舊，可以認識；更使他幾乎發狂般傷心。當到記憶的最酸苦的味道。他曾對我說。「在我所居住的境界裏，似乎很為繁複，但十分簡單，止有陰險和防備而已」我雖不能盡知道他所有的記憶，只就『陰險和防備』想，倘若拾起來擱在舌端，已足使我們哭笑不得了。

他咒詛這『陰險和防備』的境界和人物的詩很多，現在隨便舉他一首題做鬼的：

什麼東西不變成鬼呢？
但是人的鬼比
臭蒜的鬼，狗的鬼，狠的鬼更可怕；
因為我們料定
他會演出人類的醜來。
他能戴着禮帽……同人一樣，
並且做着人的事情。

人的鬼保存着人類的記憶，『他會演出人類的醜來』，所以他以為『更可怕』。在這等境界和人物之中，當然只有咒詛，只有悲痛，而無所期求。但當咒詛倦了，悲痛像波浪一般暫時息了，也有一些微小的期求，希望環繞他的境界和人物能夠給與他，他以為如能達到這個目的，也可以算起碼的滿足了。他今春獨寓在上海旅館時，有一首小詩：

誰來給我說句話？
——不須怎好，只要是平安心腸。
誰來給我一個笑？
——不必含着什麼愛，只要是內心如此，不含着什麼陰險思想。

還起碼的滿足『一句話』『一個笑』，恐怕沒有人給他吧？他的記憶裏邊，恐怕終於沒有新鮮的可慰的東西吧？他雖然也說『我却希望更苦更酸的味道』，但一種矛盾的思想對於『沒有一點特殊的記憶』的海鷗，却羨慕了。他的海鷗詩就是寫在下面的：

世界上自己能夠減輕擔負的再沒過海鷗了。
她很能把兩翼合起來，頭也縮進在一翅下，同一塊木板似的漂浮在波浪上；
可以一點不經知覺——連自己的重量也沒有。
每逢太陽出來的時候，總乘着風飛了飛；

但是隨處落下，仍是她的故鄉——
沒有一點特殊的記憶，一樣是起伏不定的浪。
在這不能記憶的海上，她吃，且飛，且鳴，且臥……從生一直到死……
愚笨的沒有嘗過記憶的味道的海鷗呀！
你是宇宙間最自由不過的了。

當然的，他要同海鷗一樣，漂浮在『不能記憶的海上』過他的生活，是做不到的。所以他讚美顛倒記憶的幻夢，羨慕泯亡記憶的死滅，以爲在這兩個境界裏，嘗到的總不是現在所嘗到的苦酸的味道了。這一類詩很多，以下略鈔幾首：

小詩

人生最好不過做夢，
一個連一個的
搯蓋了生命的斑點。

將來的花園

我坐在輕鬆鬆的草原裏，慢慢的把破布一般摺疊着的夢閒展；
這就是我的工作呵！
我細細心心的把我心中更美麗，更新鮮，更適合於我們的花紋組在上邊預備着……後
來……
這就是小孩子們的花園！

問鞋匠

鞋匠，鞋匠，你忙甚？
——現代地上滿滿都是刺，我將造下鐵底鞋。
鞋匠，鞋匠，你愁甚？
——現代地上滿是泥，我將造出水上鞋。
鞋匠，鞋匠，你哭甚？

——世界滿滿盡是疽，怎能造出雲上鞋？
鞋匠，鞋匠，你喜甚？
——我已造下夢中鞋。

張哥，來！
來李哥，來！
一齊穿上夢中鞋！

小詩

當我把生活結算一下，發覺了死的門徑時，
死的門就嘭的一聲開了。
不期然的，就有個小鬼立在門後，默默的向我示意。
我立時也覺得死之美了。

墓地之花

…………

墓下的死者呵！

你們來在何時何代？

你們的牀榻何等溫柔，你們的枕頭何等安適！

年年又爲你們的同伴送出香氣來。

墓下的死者呵！

你們對人生是不是乏味；

或者有些疑惑？

爲什麽不宣告了同伴，大家都來到墓的世界？

春光更是絢爛，墳場更是沈寂；

我慢慢的提着足，向墓的深處走着。

我告訴你

朋友，我告訴你，當我死了之後，你聽着不相識人的傳說或郵使的消息的時候，你不要哭泣！
我告訴你，千萬不要哭泣！
你只默默的，或者帶着微笑，掩蓋了我的屍體；因爲我這是離開苦惱的開始，是可賀可喜的。
朋友，我告訴你，當我死之後，你千萬不要哭泣！

你若哭泣，更引我在天國的不安；會教活潑喜笑的面孔，變成悲愴哀悽。

在這幾首詩裏，可以看出他對於幻夢和死滅，傾心的讚美熱烈的羨慕。但是，幻夢不得破空而飛，死滅又不可驟卽，這又引起他的深沈的悲歎。試讀以下兩首詩：

現實與幻想

現實是人類的牢籠，

幻想是人類的兩翼。
一隻小鳥——失望的小東西——
他的兩翼破碎而且潮溼；
他掙扎着起飛，
但他終歸落下。
呵，可憐的脫不出牢籠的人類呀！

小詩

自殺還算得有意義的：
沒意義的人生，
他覺得自殺也是沒趣味。

不過他在一首春天裏起先敍了小鳥小草小孩子對於春天的頌讚，以下說：

失望的哲學家走過，
逗留着無目的的尋求；
摟一摟亂髮，
慈祥的端詳着小鳥，小草，小孩子……
彷彿這……告訴他說虛幻的平安。
倦怠的詩人走過，
拈一拈他的眼淚，微笑蕩漾在枯縐的額上，
彷彿這……點綴了他夢景的美麗。

在現實的境界中，足以使他當時滿足的，只有『虛幻的平安』和『夢景的美麗』的自然景物了。他最喜歡和自然景物互相親密；不僅親密，他能融化陶醉於自然景物之中，至於忘了自己。去年的初夏，他到杭州去，中間來我的鄉間住了三天。那正是新苗透出不可繪的綠，雲物清麗，溪水漲盈的時候。我因為我的工作，不能每天陪着他玩。他看慣了江北的山野，驟入江南的田疇，格外覺得新鮮有趣。他獨自赤着脚，走入水沒到膝的稻田裏，撫摩溪上的竹樹，探訪農家的小女孩，憩坐在環門的小石橋闌，偃臥在開着野花的墳墓上。歸來告訴我說，『我已領略了所見的一切的意思。』後來他回魯山去了，還在信裏問起他所撫摩的竹樹和他所踏過的稻田等等話說開去了，回轉來說他的描寫景物的詩——與其說描寫，還不如說他自己與自然融化的詩。這一類詩他異常豐富，都有奇妙的表現力，微美的思想，繪畫一般的技術和吸引人心的句調。若說他其他的詩是壯美的，則這一類詩是優美的。現在他在福州的倉前山，以下略舉幾首，都是寫的那邊的景物。

一步曲

我曲曲折折的順着這道山谷走下去。
我一步一步的走着，送到耳邊的是兩岸密林裏邊小鳥的清脆的歌曲；迎面
細風吹着——這是從太平洋吹過來的細風，滿含着極溫柔的溫潤和野香。

軒鬆鬆的淺草在我足下親吻，
我的脚一下，她也輕輕的躺下一點；但是總……柔情而十分忠實的承接着我的脚底。
我想些什麽？
是這樣的什麽也不是，什麽也沒有了！
小鳥總是那樣的唱着，
細風總是那樣的吹着，
我總是一步一步的走着。

無題

一個小鳥不期然的落在窗外榕樹小枝上，
細流……離流……婉轉而清脆的唱了一板；
少微側一側耳，似乎要聽些什麽，以後
細流……

離發……
正要一板一板的向下唱，
小孩子赤着脚跑來了；兩個空挑子在他肩上不止的擺動，他唱着
妮妞……妮妞……
我無心的走出門去，
一步……兩步
我們的一切都在一個調裏。

在黑影中

假若你在黑暗的夜間，你一個人來到寂寞而且沈濁的密林裏；
那比在光亮裏更有趣
你能聽見；
這一個樹葉拍着那一個的聲響，

蟋蟀的悽楚，
疲倦後的小鳥的密語。
寂寞——莫名——的美妙喲！
——黑暗的美麗喲！
只有深藍的點着繁星的天空，
從林隙中看出渺渺茫茫的星光。

詩

輕輕的捧着那些奇怪的小詩，
慢慢的走入林去；
小鳥們默默的向我點頭，
小蟲兒向我瞥眼。

○

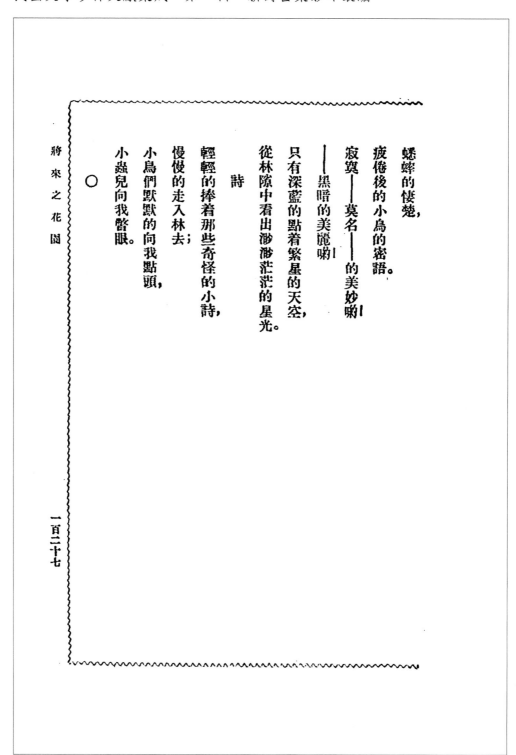

我走入更陰森更深密的林中，
暗把那些奇怪東西放在溼漉漉的草上。

〇

看呵，這個林中！
一個個小蟲都張出他的面孔來，
一個個小葉都睜開他的眼睛來，
音樂是雜亂的美妙，
樹林中，這裏，那裏，
滿滿都是奇異的神祕的詩絲織着。

他在山谷中走着，『什麼也不是，什麼也沒有了，』我想他所慨憤的『記憶』當是暫時地泯滅了『我們的一切都在一個調裏』我們可以知道他當時是混同於自然，不是從外面觀賞自然了。『這一個樹葉拍着那一個，』『一個個小葉都張開他的面孔來，一個個小蟲都睜開他的眼睛來，』是何等奇妙的句子！我以爲他常常有奇妙的句子花一般怒放在他的詩篇裏，不在別的，實由他有特別靈警的感覺。他並不是故意的做作，感覺是如此，所以如此寫下來了。這不單是寫景物的詩，他一切詩都如此。他並不以作詩當一回事，像獵人搜尋野獸一樣，當感覺強烈，情緒奔興的時候，他不期然地寫了；寫出來的，我們叫做詩。他的稿子，往往有許多別字和脫落的地方。曾問他爲什麽不仔細一點寫？他說，『我這樣寫，還恨我的手指不中用。仔細一點寫，那些東西便脫逃了。』這可以明白他的詩有時不免有結構粗鬆修辭草率的緣故。但也可以明白他的詩所以這麽自然，沒有一點雕鑿的痕跡，這麽眞實，沒有一些強作的呻吟。

他雖然有時陶醉在自然裏，但『記憶』像錐子一般在背後刺他，他不能不醒。醒來時當然仍是憤慨；他在福州，大半是爲了飯，所以也覺得『勉強。』他曾向我說，『我一切有點兒勉強。』覺到『勉強』，熱地的密林，微風的海景，都於他漠然了。他只戀念遙遠的故鄉。故鄉雖然是兵和匪的窟穴，然而有他的母親父親在那裏。他沒有到福州，在途中就有一首詩題做給母親的信的：

當我迷迷苦苦的思念她的時候，就心不自主的寫了一封信給她。

待我用平常的眼光，一行一行看了這不甚清析的字跡時，

我的眼淚就像火豆一般，經過兩頰，滴在灰色的信紙上了。

——料她一字不識——

他寫了許多戀念故鄉的詩。在那些詩裏，愛慕母親之外，更記罣着魯山的山谷，草原，田園，家裏的小弟弟，兩匹母牛，三頭牛犢，和父親的耘田，小弟弟的弄小石子與他自己的割草。他的心時時飛過林原和海天，浮翔於所愛的故鄉。他的愛實在很熱烈而廣大。他所以有咒詛的聲音，也同於魯迅先生說愛羅先珂的，叫做無所愛而不得所愛的悲哀。所以他一方咒詛，一方饒恕被咒詛的，同時還十分加以憐憫。這個情形在他的詩中時常遇到，今且不舉而因此便可以推知他對於心靈相通的幾個人是怎樣的熱誠而天眞地相愛了。

他是蒼黄的面孔，眼睛放射神祕的光，『亂髮乘風飄拂』不常薙的短　圜着脣邊。紹虞先見了他的相片，說他是個神祕家。我說有些意思。但你若見了他的面，即不開口談話，就能感覺

到他的眞樸的心神。當他乘着小汽輪來我的鄉間時，我在埠頭聽了報到的汽笛，期待的心緊張到十二分了。舟子泊定了船，乘客逐一登岸，我逐一打量在乘客的後面，一個人黑布的衣服，泥污沾的很多，面貌如上面所述，一手一個輕巧的鋪蓋，一手一隻新的竹絲籃中間滿盛着枇杷香蕉等果品。我彷彿被神秘的主宰命令着似的，搶前去緊握着他的一臂，『你——玉諾』他的目光注定在我的臉上，幾乎使我欲避開，端相了一會，才換過鋪蓋，也提在提籃的手裏，隨卽緊握着我的手道，『你——聖陶』這當兒有一種不可說的感覺，只覺是滿足，至今也不能忘。我所以在此地順便記了下來。

他有許多戀愛的抒情詩，都有非常動人的魔力，可惜現在不在手頭。現在止有他今年二月到今所作的兩卷詩，一卷題做海鷗，一卷題做將來的花園。從這兩卷詩裏，也可以讀到許多首。姑鈔兩首於下：

一點墨

我的眼睛像兩隻美麗蝴蝶一般，一默一看的繞過這一片蒼色的圖畫——一片奇怪的高低不平的圖畫；
被一點小墨留住了！
我依依戀戀環繞這個小墨點，這小墨點就現出無限的深奧；
是一個溫和而且美麗的世界，可以一步一步的走了進去。
這是我的愛人的一隻眼睛啊！
我絲裏邊；我必須活在那裏，我的，我所要的一切都在那裏了！

愛的表象

他的愛人送他小小一方絲巾，上面寫着：
『要她替我看待你！』
他心神跳動着看了又看，他沒心似的舉起兩臂，忽然覺得害羞似的又放下來；
他心慌，他的面頰忽然發紅，又忽然青白；
——狂駒得着了泉水——嘗着溫柔的人，就是這樣了！

這兩首何等甜美而細緻，可以算是有新鮮趣味的戀愛詩。但他大部分的戀愛詩，於柔美之中，不脫他大部分詩的剛勁的風調，更時時流露出不得所愛的悲哀。

將來的花園是他最近的一卷詩，就成於本月份，以九天的工夫寫成的。他在這卷詩裏，有一絲新的萌芽，是我樂為讀者告的，就是他對於『記憶』仍是深惡，而對於將來却懷着新的希望。有一首題做宣言的：

我們將否認世界上的一切——記憶！
一切的將來都在我們心裏；
我們將把我們的腦袋，同布一樣在水中洗淨，
更造個新鮮的自由的世界。

這就是所謂新的萌芽了。更有一首題做新歌的：

喂，我們的歌者——一個奇異的小鳥！
不要這樣悽楚；太陽終要出來呢。

喂，我們的歌者！
不要唱這個！這會教我們的心一個小心酸痛起來；
唱個新的，讚美那沈沈快快去的太陽！
表明他賜給我們的——黑暗——的美滿！
　表明我們怎樣歡迎他給我們的快樂！

『沈沈快去的太陽』是垂暮的，『終要出來』的太陽是新的了！他以後將做新歌的歌者，對於『沈沈快去的太陽』不復咒詛而反讚美，對於『終要出來』的太陽當然更要歌頌了。這不是我們所渴望的新歌麼？而他將為這個的歌者。

我文絕對不是什麼批評，於玉諾的詩不能有所增益，當然也不致有所減損；便是增益和減損，又都與他沒有什麼關係。我只是戴了我的眼鏡，去看他的詩，而把所感覺的寫出來罷了。在此我更堅信我的固執的念頭，必有充實的生活才成眞的詩。——玉諾的思想雖如上述，然而他的生活究竟比較的充實——我確這樣地感覺着。

五，二二。

已出三冊
每冊四分
商務印書館發行

無論那一處的兒童都有唱歌的嗜好。我們看世界上有人居住的地方,便有那地方的兒童所唱的童謠,這便可見歌謠在兒童生活中的勢力了。這一種「兒童詩歌」,宗旨就在給與兒童以唱誦的快樂,而發展他們的優美的感情。每冊有圖畫花邊很多,越是美麗可愛。愛唱歌謠的小朋友們,請留意呵!

元(953)

新時代叢書

上海商務印書館發行

這部叢書編輯的起意,不外以下的三層意思:

(一)想普及新文化運動。

(二)爲有志研究高深些學問的人們供給下手的途徑。

(三)想節省讀書界的時間和經濟。

現在已出三種。以後當陸續出版。

編輯人

李大釗 李季 李達
李漢俊 邵力子 沈玄廬
沈雁冰 周作人 周建人
周佛海 夏丏尊 陳望道
陳獨秀 鄭太朴 戴季陶

第一種

女性中心說

日本堺利彥稱述,李達譯,原文係奧國社會學者烏德所著本科學態度羅舉生物界昭著事實,證明自然中女性實處於中心地位,數千年來之傳統思想,以男性爲中心者,從此粉碎無餘地了。實爲有功於世道人心的科學上的新發現。　定價四角

第二種

社會主義與進化論

日本高畠素之著,夏丏尊李繼楨合譯,此書用社會主義者之眼光,批判并介紹有關社會之生物及哲學上各派學說,證之不僅能明瞭社會主義與各派學說之關係,且於社會主義之眞義更得正當之見解。　定價每冊四角五分

第三種

馬克斯主義和達爾文主義

馬克斯與達爾文兩種主義爲近代最有力之思想,學術政治咸受其影響。此書比較兩氏學說而研究之,與前出「社會主義與進化論」一書頗多互相發明之處。原著者爲英國班納柯克氏,譯者施存統。　定價每冊二角五分

元(027)

世界文學叢書

文學研究會編輯

第一種　春之循環

印度太戈爾原著劇本，舉世英譯。是劇內容，述一國王見白髮而懼，詩人為作一劇，指示人生之意義。哲理蘊深，而辭筆極能明達，是醫青年的懊悶病。文辭清麗雋逸，讀之令人心曠神怡。青年啊！覺得生活的煩悶嗎？何不一讀太戈爾的傑作呢？　一册　定價三角

第二種　意門湖

是書為德國斯托爾母之短篇名著，唐性天譯。是敘述孩兒的情愛之作，描寫情景，栩栩如生，蓋所敘演者都為著者自己之經驗，所描寫者又是故鄉之風景，能使無數人與著者同情同感，得一深深的印象。且書中一言一動都有寓意；如讀者靜靜地會悟其意思，更覺趣味深長了。　一册　二角五分

商務印書館發行

元又(026)

中華民國十一年八月初版

（將來之花園一册

（每册定價大洋肆角）

（外埠酌加運費匯費）

譯者　徐玉諾

發行者　商務印書館

印刷所　商務印書館　上海北河南路北首寶山路

總發行所　商務印書館　上海棋盤街中市

分售處　商務印書分館　北京　濟南　杭州　天津　太原　蘭谿　保定　開封　安慶　奉天　鄭州　蕪湖　吉林　西安　南昌　龍江　南京　漢口　長沙　福州　貴陽　常德　廣州　衡州　潮州　張家口　成都　香港　重慶　梧州　瀘縣　雲南　新嘉坡

九二一一四張